A Mélodie y Tristan, que luchan como leones para aprender a leer.

A su profesor, el señor Sánchez, del colegio Clairs Bassins, en La Charité-sur-Loire.

B. F.

A Mathis y a la sabiduría recién adquirida de sus siete años.

A. F.

Tristán e Iseo

Béatrice Fontanel | Aurélia Fronty

EDELVIVES

scuchad, escuchad con atención la historia
del valiente Tristán y la dulce Iseo,
cuyo amor fue tan grande que todavía hoy oímos,
desde lo más profundo de la memoria,
el latir unísono de sus corazones.

Hace mucho tiempo,
no se sabe exactamente cuándo,
en el mismo momento en que su padre
perdía la vida en la guerra, nació Tristán.
Su madre, Blancaflor, murió de tristeza.
El niño se llamó Tristán, el triste.

Pese a todo, Tristán creció y se convirtió
en un apuesto joven, diestro con las armas
y músico exquisito.

Al cumplir quince años,
Tristán se presentó en la corte
de su tío Marcos, rey de Cornualles.
Los caballeros y las damas
se maravillaron de su belleza.
Pronto Tristán demostró que,
además, poseía un gran valor.

Como cada año, Morholt, el gigante,
llegó a la corte para cobrar,
en nombre del rey de Irlanda,
un tributo de jóvenes que hacer esclavos.
Sus padres, desesperados, se lamentaban.
Conmovido por sus lágrimas,
Tristán decidió matar a Morholt.

Y así lo hizo.
De un golpe certero, le partió el cráneo,
y un pedazo de su espada
quedó en la cabeza de su enemigo.
Durante la lucha, Tristán resultó gravemente herido,
más de lo que había imaginado,
pues el gigante había emponzoñado su arma
con un veneno letal.
Morholt, antes de expirar,
le reveló que solo su sobrina Iseo,
hija del rey de Irlanda, poseía el poder de curarlo.

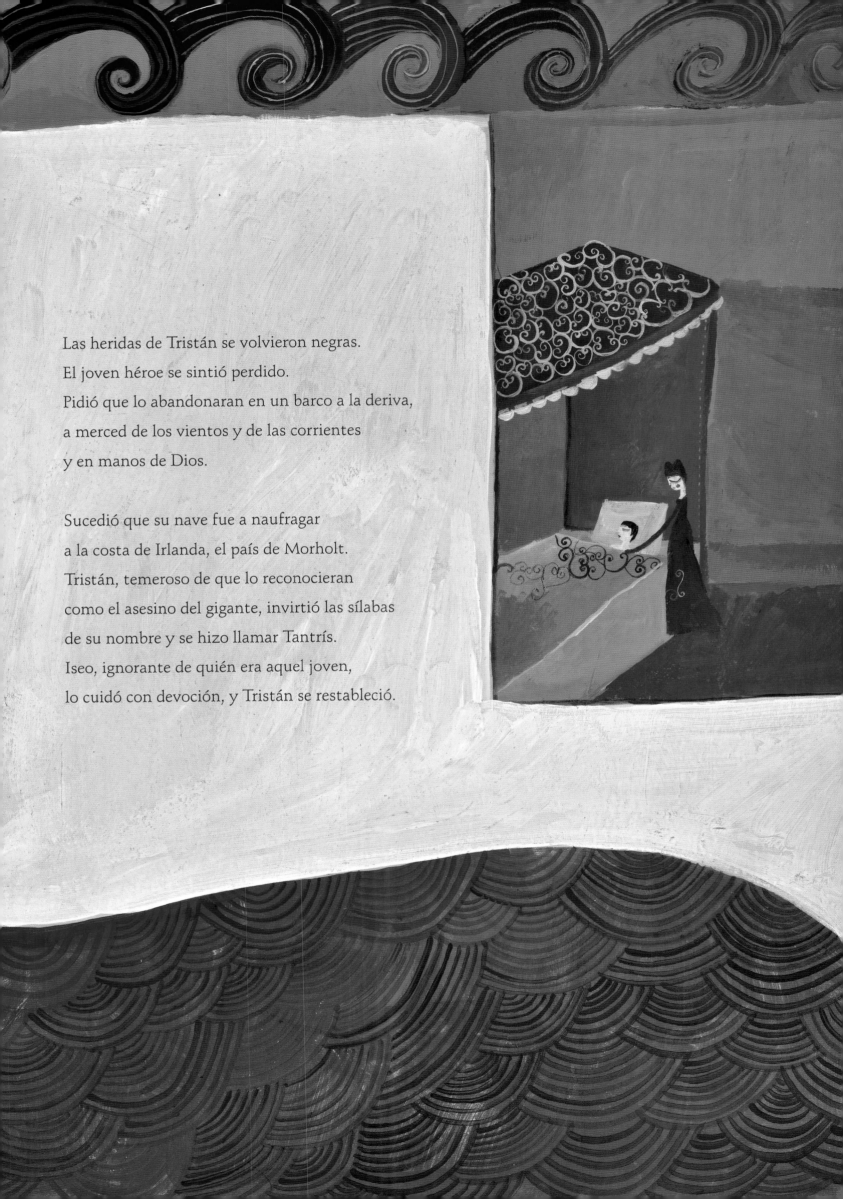

Las heridas de Tristán se volvieron negras.
El joven héroe se sintió perdido.
Pidió que lo abandonaran en un barco a la deriva,
a merced de los vientos y de las corrientes
y en manos de Dios.

Sucedió que su nave fue a naufragar
a la costa de Irlanda, el país de Morholt.
Tristán, temeroso de que lo reconocieran
como el asesino del gigante, invirtió las sílabas
de su nombre y se hizo llamar Tantrís.
Iseo, ignorante de quién era aquel joven,
lo cuidó con devoción, y Tristán se restableció.

l cabo de un tiempo,

Tristán tuvo que regresar a Cornualles,

a la corte de su tío Marcos,

quien, al no tener descendencia,

deseaba nombrarlo su sucesor.

Pero unos pérfidos barones, celosos del joven,

urdieron una intriga para impedir su acceso al trono.

Apremiaron al rey para que eligiera esposa

y concibiera un heredero.

En ese instante,

una golondrina cruzó los aires,

veloz como un dardo,

y dejó caer a los pies de la asamblea de nobles

un largo mechón de cabello dorado.

Inspirado por aquel presagio,

el rey declaró, solemne:

—Me casaré con la dueña de este mechón dorado.

—Señor, yo conozco a esa princesa —respondió Tristán,

que había reconocido el cabello de Iseo—, puedo ir

a buscarla para vos.

ristán viajó de inmediato hacia la costa irlandesa.
Apenas hubo desembarcado, tras una agitada travesía,
un dragón de imponente cresta surgió en la orilla.
Reptaba con la cabeza muy erguida y los ojos desorbitados
y escupía fuego y veneno.

Tristán lo abatió sin miramientos,
le cortó la lengua y la guardó en su bolsillo.
Pero, intoxicado por el veneno mortífero que desprendía esta,
sintió que perdía el sentido y se desmayó.
Con gran premura llevaron al héroe, inconsciente, al castillo,
donde Iseo volvió a brindarle sus cuidados.

Mientras tanto, un traicionero senescal
cortó la cabeza del dragón.
La enseñó e hizo creer a todos
que era él quien había matado al monstruo,
y por aquella hazaña reclamó sin pudor
la mano de Iseo, que lo odiaba.
Pero Tristán tranquilizó a la princesa
y mostró a la corte la lengua del dragón
que había guardado.
El senescal, viéndose descubierto, huyó.

Un día, mientras Tristán tomaba un baño de hierbas medicinales,
Iseo descubrió que su espada tenía una ligera mella.
El fragmento que faltaba se parecía curiosamente
al que encontraran en la cabeza de su querido tío Morholt.
Iseo había conservado el trozo en un cofre de plata
y fue corriendo en su busca.
Encajaba en la espada a la perfección.

Presa de la ira, Iseo decidió acabar con la vida de Tristán.
Se precipitó sobre él empuñando la espada,
pero Tristán le imploró, le suplicó
y le recordó cómo la había ayudado a evitar su boda
con el senescal que aborrecía.
La dulce Iseo, incapaz de causar daño al joven,
dejó caer la espada al suelo.

Tristán confesó que había venido a pedir su mano
para su tío, el rey de Cornualles.
Iseo no dijo nada, pero su padre, el rey de Irlanda,
se sintió halagado por la proposición y aceptó.

Justo antes del viaje de la prometida,
la madre de Iseo entregó a Brangel, su fiel ama,
un barril en el que había vertido un filtro de amor.
La sirvienta debía dar de beber aquella pócima
a la princesa y a su esposo la noche de bodas
para que conocieran el amor eterno.

Mas, ¡ay!, durante la travesía, el viento amaina,
las velas caen y el calor se hace insoportable.
Un paje ofrece a Tristán una copa de agua del barril,
y Tristán, cortés, la comparte con Iseo.

En ese preciso momento,
se enamoran perdidamente uno del otro.

Al instante, el viento vuelve a soplar,
las velas se hinchan y la nave surca los mares de nuevo
hasta llegar a buen puerto. Demasiado rápido para Iseo,
que ya no quiere entregarse al rey Marcos,
pues es a Tristán a quien ama.
La noche de bodas, Iseo pide a Brangel
que se disfrace y que, en la oscuridad,
la sustituya en el lecho del rey.

Desde ese día, Tristán e Iseo

han de verse furtivamente.

Pero el astuto enano Frocín les tiende una trampa.

Compra harina de flor y la esparce

entre la cama del rey y la de Tristán

para desvelar las huellas de sus pasos.

Tristán descubre las maquinaciones de Frocín,

pero no puede reprimir su deseo

de encontrarse con su amada.

Apenas se retira el rey, Tristán salta con gran impulso
desde su cama a la de Iseo. Pero, con el esfuerzo,
se abre una vieja herida de caza de su pierna
y la sangre gotea sobre la harina.
La sangre tiñe de rojo las sábanas blancas,
y esas flores escarlatas lo delatan.

¡Han sido desenmascarados!
¿Qué sucederá?

a cólera se apodera del rey.

Los barones acuden veloces y ordenan prender a los dos amantes.

Se erige una gran hoguera para quemarlos;

Tristán será el primero.

¡Qué infortunio!

El pueblo, que siente afecto por los amantes, se lamenta y llora.

—¡Ay, Tristán, tú que eres tan valiente!

De camino al patíbulo, el prisionero y los guardias

pasan frente a una capilla situada al borde de un acantilado.

Tristán pide que se detenga la comitiva para rezar antes de morir.

Pero ¿qué hace? ¿Ha perdido el juicio?

Tristán se lanza al vacío.

¡Se va a despeñar!

¡Pero no! El viento se cuela entre sus ropajes

y el joven aterriza ileso en la orilla.

¡Mirad cómo corre, qué zancadas!

Un grupo de leprosos armados con muletas y bastones
proponen para Iseo un castigo terrible:
que, en vez de ser quemada en la hoguera,
el rey se la entregue y la convierta en su esposa.
Marcos accede.
Iseo está horrorizada.

Mientras los leprosos, felices con su hermosa presa,
se llevan a Iseo, Tristán, escondido tras un arbusto,
cae sobre ellos y, sin darles tiempo a admirar su proeza,
rescata a la joven sin causar daño alguno.
Los dos amantes desaparecen
ocultándose en lo más profundo del bosque.

Tristán e Iseo vivieron en una cabaña hecha de ramas.
Bebían agua de las fuentes y se alimentaban de raíces, bellotas y bayas.
Estaban cada vez más demacrados y tenían las ropas desgarradas
a causa de las zarzas. ¿Acaso morirían de hambre?

Por suerte, *Husdén,* el perro de Tristán, logró escapar del castillo
y siguió el rastro de su dueño. Había saltado por el acantilado,
había cruzado la orilla y se había adentrado en el bosque.
Cuando encontró a Tristán, saltó sobre él y empezó a ladrar como loco.
Tristán e Iseo temieron que el rey y los barones lo hubieran seguido
y que sus ladridos revelaran su escondite.
Por un momento, Tristán, angustiado, pensó en matar a su perro,
pero finalmente decidió enseñarle a cazar en silencio.
El inteligente animal comprendió lo que se esperaba de él
y, desde entonces, persiguió a sus presas sin dar un solo ladrido.
Gracias a él y al arco de Tristán, nunca volvió a faltarles comida.

l cabo de tres años, en la mañana de San Juan,
cuando, con el solsticio de verano,
las noches se hacen cortas y estrelladas,
la magia del filtro desapareció.
Sin embargo, Tristán e Iseo comprobaron
que seguían enamorados.

Una noche, mientras estaban profundamente dormidos
en su cabaña, con la espada de Tristán
entre sus cuerpos, el rey Marcos los descubrió.
Había ido allí con la intención de matarlos,
pero, al ver a Tristán y a Iseo durmiendo castamente
y ataviados con sus pobres ropajes, no tuvo el valor para hacerlo.
Tomó la espada de Tristán y colocó la suya en su lugar.
Al despertar, los amantes supieron que el rey había estado allí
y que les había perdonado la vida.
Tristán, entonces, decidió devolver a Iseo a la corte.

Antes de separarse, Tristán confió su perro *Husdén* a Iseo,
y ella entregó a Tristán su anillo
prometiéndole que si algún día un mensajero se lo llevaba,
lo dejaría todo para acudir a su lado.

Se separaron.
Tristán creyó morir de tristeza.
Iseo también creyó morir.

scuchad ahora lo que aconteció al pobre Tristán.
Se embarcó y remó hasta Bretaña.
Allí tomó por esposa a Iseo, la de las Blancas Manos,
porque su belleza le recordaba a la de Iseo la Rubia.

Pero la noche de bodas, mientras se desvestía,
el anillo que le diera Iseo se escurrió de su dedo
y cayó al suelo emitiendo un sonido
que le partió el corazón.

Él no deseaba pertenecer a ninguna otra mujer.

Al día siguiente, abandonó a su esposa
para alistarse en las contiendas más arriesgadas,
hasta que un día resultó gravemente herido.

Entonces rogó que le trajeran a Iseo la Rubia.
Solo ella podía sanar sus profundas heridas.
Mandó a buscarla allende los mares
y pidió que el barco, a su regreso,
izara una vela blanca si Iseo se encontraba a bordo
o una vela negra si se había negado a acudir en su ayuda.

Y Tristán esperó.

l borde mismo de la muerte,

a punto de sucumbir a la enfermedad,

Tristán divisó, por fin, una nave en el horizonte.

—Amiga mía, decidme rápido, ¿de qué color es la vela

de la nave que se aproxima? —preguntó Tristán

a Iseo, la de las Blancas Manos.

Esta lo comprendió todo y, devorada por los celos, le mintió:

—Sabed que la vela es negra.

Tristán se dejó caer en su lecho y murmuró:

—Puesto que no habéis querido venir a mi lado,

querida Iseo, no puedo seguir viviendo.

Cuando Iseo la Rubia llega junto a él
ya es demasiado tarde.
Le habla. ¿Qué le dice? Nadie lo sabe.
Acaricia su rostro, lo abraza y muere a su lado.

Entierran sus cuerpos en tumbas separadas,
pero, tras los funerales, brotan dos grandes arbustos
y extienden sus ramas hasta entrelazarse
el uno con el otro.

Quizá de esta historia no todos queden satisfechos.
Os la he contado lo mejor que he podido
y he dicho toda la verdad sobre Tristán e Iseo.
Su historia de amor resiste el paso del tiempo,
tan fresca como el espino albar,
y se cuenta a niños y mayores
desde hace más de mil años.

Traducción: Elena Gallo Krahe

Edición: Llanos de la Torre Verdú

Título original: *Tristan et Iseult*
© Hachette Livre, 2009
© De esta edición: Editorial Luis Vives, 2010
Carretera de Madrid, km 315,700 • 50012 Zaragoza
Teléfono: 913 344 883 • www.edelvives.es

ISBN: 978-84-263-7696-1

Impreso en China